ANNE BERNARD-LENOIR

PACIFIC EXPRESS

LA TABATIÈRE EN OR

la courte échelle

Laggan, août 1884

L'arpenteur avait laissé la porte de la cabane entrouverte et s'était installé sur la galerie, face au soleil, pour laver ses chaussettes. L'individu qui l'espionnait depuis un moment attendit qu'il aille remplir son seau avec l'eau du ruisseau et que sa silhouette disparaisse au coin du baraquement pour s'introduire à l'intérieur avec l'agilité d'un jeune cougar.

Il y avait là une trentaine de lits, des armoires, des monceaux de draps et de couvertures pêle-mêle, des cordes pendues à des crochets et des instruments d'arpentage. Le fouillis était indescriptible. Chaque couche présentait une planche de bois sur laquelle on avait gravé les initiales de son occupant.

L'intrus se mit à marcher sur la pointe des pieds le long des rangées, en scrutant les écriteaux pour trouver les initiales « L. M. »

ou « L. MA. ». Il tendait l'oreille et, au moindre bruit suspect, il se faufilerait sous un lit.

C'est en arrivant au fond de la pièce qu'il aperçut ce qu'il cherchait. Le nom était écrit au complet sur un morceau de cuir.

L'individu sortit son poignard et exécuta la tâche qui l'amenait dans ces lieux.

Le colis

Bobcat était reparti en expédition. Il s'était écoulé deux mois depuis les péripéties de Ti-Khuan dans la forêt*. Après ces terribles incidents, mon ami ne perdit pas son travail ; apprenant les raisons de sa défection, le photographe Will MacFarley ne pouvait que lui pardonner de ne pas l'avoir accompagné pendant l'ascension du massif de Whitehorn.

Quant à moi, je vivais toujours à Laggan, le camp de base des travailleurs engagés par la compagnie Canadian Pacific Railway, chargée de la construction de la première voie ferrée transcanadienne.

Depuis le mois de juin, chaque train provenant de l'est déversait dans le coin des dizaines d'hommes proposant leurs services.

* Lire *La disparition de Ti-Khuan* (tome 2).

La besogne ne manquait pas, et certains s'y attelaient jour et nuit. Pourtant, le chantier prenait du retard, et le travail à accomplir demeurait colossal. Crottin de citrouille, l'été 1884 était exécrable! La pluie ne cessait de tomber, gonflant les eaux de la rivière Kicking Horse, qui débordait et inondait les zones plates. Les glissements de terrain provoquaient le déplacement d'immenses plaques de terre. Les avalanches déclenchées par les opérations de dynamitage rasaient des pans de montagnes, arrachant les arbres, qui dégringolaient des sommets comme des fagots d'allumettes géantes. Des ponts qu'on venait de construire s'affaissaient, emportés par les eaux tumultueuses des rivières. La voie ferrée n'avait toujours pas franchi le col du Cheval-qui-Rue. La Grande Pente était un tronçon terrifiant long d'une dizaine de kilomètres qui descendait de la montagne. Son inclinaison était vertigineuse : quatre pour cent et demi. La première locomotive qui l'avait empruntée avait fini sa course dans la rivière, tuant trois hommes.

Bobby, le contremaître pour lequel j'avais pris l'habitude de travailler, m'avait assigné une nouvelle tâche : aider au transport des traverses, de longs morceaux de bois mesurant un mètre quatre-vingts sur lesquels les rails étaient posés.

À l'extrémité du campement de Laggan, aux abords de la forêt, se trouvait la scierie où un groupe de bûcherons s'occupait de la coupe des troncs en traverses. Mon travail consistait à les aider à porter ces lourdes pièces de bois jusqu'aux chariots attelés à Wednesday et aux autres chevaux et mules. Je menais ensuite ma monture jusqu'au train qui déchargeait les traverses au bout de la voie ferrée en construction, à l'intention des poseurs de rails. À l'instar des autres bêtes de somme présentes sur le chantier, Wednesday nous était d'une aide précieuse.

Depuis que Ti-Khuan et moi avions fait la connaissance de Charlotte Kinder, la nièce du propriétaire du magasin général de Laggan, nous passions une bonne partie des dimanches – nos seuls jours de congé – en sa compagnie lorsqu'il faisait beau temps. Nous jouions aux cartes ou nous allions nous promener le long de la rivière Bow.

Je trouvais Charlotte de plus en plus belle... Elle avait douze ans. Elle était douce et enjouée. Les boucles rousses de ses cheveux longs rebondissaient sur ses jolies épaules lorsqu'elle marchait. De sa robe grise aux manches bouffantes émanait un délicat parfum de fleurs. Quand elle riait, ses lèvres découvraient de petites dents blanches semblables à des coquillages. Et, lorsque ses yeux noirs se fixaient sur les miens, je regardais ailleurs. Crottin de citrouille, j'étais si timide !

Ce dimanche-là, le soleil étincelait dans le ciel clair. Des odeurs de résine nous parvenaient des sous-bois de la forêt voisine peuplée de cèdres et de grands pins. Les derniers jours sans pluie avaient desséché le sol, qui ne ressemblait plus à un champ de boue. Charlotte, Ti-Khuan et moi avions passé l'après-midi à jouer aux cartes en mangeant des biscuits. Comme à l'accoutumée, nous nous étions assis en tailleur sur le plancher de la galerie du baraquement des arpenteurs. Attachés au même anneau, Wednesday, mon cheval, et Kiaokéli, la jument de Ti-Khuan, paraissaient somnoler à l'ombre de la vaste cabane de bois rond.

Ti-Khuan était doué et venait encore de gagner la partie. Charlotte soupira et posa ses cartes sur le minuscule tabouret nous servant de table.

— Ma mère m'avait dit que je pourrais peut-être me baigner dans la rivière pendant les vacances, déclara-t-elle de sa voix fluette. Mais le courant est trop fort.

— Et l'eau de la Bow est glaciale ! ajoutai-je.

Ti-Khuan fit une grimace pour signifier son approbation. Il aimait la baignade, mais n'avait pu s'y adonner que durant les brèves chaleurs de juin. En raison des pluies estivales, les glaciers fondaient vite, refroidissant l'eau des lacs et des rivières.

J'étais sur le point de sortir mon couteau pour l'aiguiser — une lame doit toujours être affûtée, car on ne sait jamais quand elle peut nous sauver la vie — lorsqu'un cavalier déboula devant nous. Tous les arpenteurs travaillaient ce jour-là, profitant du beau temps pour avancer leur ouvrage sur le chantier. La venue inattendue de cet étranger brisa le silence et nous fit sursauter.

— Salut ! lança-t-il.

Il dévisagea Charlotte et, d'un geste rapide, souleva son chapeau comme l'exigeait la politesse devant une jeune dame. Sa tête ne m'était pas inconnue.

— Abraham Richards. Je travaille pour Jason Morgan.

Son nom ne m'évoquait rien. J'avais dû le croiser en compagnie du juge Morgan au cours de l'affaire du tunnel Corey Brothers*.

Richards me regarda droit dans les yeux.

— C'est toi, Luke, le fils de Clyde MacAllan ?

— Ou… oui, bredouillai-je, étonné.

Mon cœur se serra. Je n'avais pas entendu le prénom de mon père depuis si longtemps !

— J'ai un colis pour toi provenant de Port Moody. Le juge m'a demandé de te le remettre en mains propres.

Richards fit avancer son cheval jusqu'à nous et me tendit une enveloppe épaisse et grise. Elle était si froissée qu'un troupeau de bisons semblait l'avoir piétinée.

---

* Lire *Terreur sur la ligne d'acier* (tome 1).

Je glissai un œil vers mes amis. Charlotte et Ti-Khuan paraissaient aussi interloqués que moi.

Après un bref moment d'hésitation, je m'emparai du mystérieux paquet. Je n'eus pas le temps de remercier Richards, qui nous salua d'un hochement de chapeau et quitta les lieux en lançant sa monture au galop sur le chemin de terre.

Un héritage

Je tenais le colis entre mes mains et le fixais comme une bête curieuse, sans l'ouvrir. Ti-Khuan et Charlotte se rapprochèrent de moi pour voir ce que Richards m'avait apporté.

— Port Moody... répétai-je, incrédule.

— Ce n'est pas une ville située sur la côte du Pacifique, près de Vancouver, là où vous habitiez, ton père et toi, avant de venir dans les Rocheuses ? se risqua Ti-Khuan.

— Si.

J'étais ébranlé ; je tâchais de rassembler mes idées et de deviner le nom de l'expéditeur de ce paquet.

— Alors, tu l'ouvres ? s'impatienta Charlotte.

Je posai la grosse enveloppe poussiéreuse sur mes genoux et déchiffrai l'adresse écrite sur le papier froissé : *Pour Luke MacAllan, fils de Clyde MacAllan, à remettre en mains propres, Baraquement des arpenteurs A-08, Campement des ouvriers de la Canadian Pacific Railway Company, Laggan, Alberta.*

Devant Ti-Khuan et Charlotte qui m'observaient en silence, je sortis de ma poche le canif à manche d'ivoire que mon père m'avait offert à mon dernier anniversaire. Je coupai la ficelle entourant le colis, qui avait manifestement souffert des soubresauts de la diligence postale depuis la côte de la Colombie-Britannique. Il était solidement cacheté. Je l'ouvris du bout de la lame de mon couteau et, sans attendre, jetai un œil à l'intérieur. Je vis une jolie bourse, grande comme ma main, d'un cuir beige et lisse comme le dos d'une vachette. Elle était entrouverte, et le cordon servant à sa fermeture, dénoué. Je reconnaissais cette sacoche. Elle avait appartenu à mon père !

— Qu'est-ce que c'est ? me demanda Ti-Khuan.

— Je... je ne sais pas, bafouillai-je, sous le choc.

Dans le colis, j'aperçus une feuille de papier pliée en deux. De mes mains tremblantes, je rangeai mon canif, puis je saisis la sacoche ouverte et le papier, et déposai l'enveloppe vide sur la galerie.

Le cœur battant, je dépliai la feuille.

– C'est une lettre, murmura Charlotte.

Elle était rédigée à l'encre noire et m'était adressée. J'entrepris de la déchiffrer à voix haute :

Port Moody, le 3 août 1884

Cher Luke,
Mon nom est Mortimer Neeson. Je suis notaire et j'habite la ville de Port Moody, en Colombie-Britannique.

Avant de partir pour les Rocheuses pour travailler sur le chantier de construction de la compagnie du Canadian Pacific Railway, ton père m'a donné des instructions précises et confié des objets à te léguer en héritage s'il lui arrivait malheur.

C'est par l'entremise d'un de ses collègues, Albert O'Brien, que la terrible nouvelle de son décès m'est parvenue. Je te présente mes sincères condoléances, mon garçon, et te souhaite beaucoup de courage pour traverser cette douloureuse épreuve. Ton père était un homme très brave.

J'ai su par le juge Morgan que ton travail était fort apprécié sur le chantier et que tu avais fait preuve de loyauté et de sang-froid lors d'événements dramatiques qui se sont déroulés cet été dans les montagnes. Ton père et ta mère seraient fiers de toi.

Tu trouveras dans ce colis et cette pochette en cuir des objets qui te reviennent et que ton père désirait te voir acquérir à son décès. Sache que je conserve à l'intention de ta petite sœur, Sarah, la même somme et divers objets que je lui transmettrai lorsqu'elle sera en âge de les posséder. Ce colis, qui te parviendra avec du retard — tu m'en excuseras, j'ai été bien malade — n'est qu'une maigre consolation dans les circonstances. Je souhaite toutefois qu'il t'apporte un peu de réconfort.

Que la chance soit avec toi. Sache que c'est avec grand plaisir que je te recevrai chez moi, à Port Moody.

En attendant ta visite,

Ton très dévoué
Mortimer Neeson
Cabinet Neeson, 3, River Square,
Port Moody, Colombie-Britannique

Je n'étais pas fort en lecture ; il me fallut plus de quinze minutes pour déchiffrer cette longue lettre. Ti-Khuan et Charlotte m'avaient écouté en silence.

J'ignorais que mon père avait pris de telles dispositions à l'égard de ma sœur et de moi. Sarah, l'orphelinat...

Alors que je lisais la lettre de Neeson, mes yeux s'étaient remplis de larmes brûlantes que je tentais de contenir.

Je pris une grande respiration pour me donner du courage, puis je posai la lettre à mes côtés, sur le plancher de la galerie, et plongeai la main dans la sacoche en cuir de vachette. J'en ressortis un mouchoir, deux petites photos, un peigne et une poignée de billets de banque.

– Ça alors... murmura mon ami Ti-Khuan.

Je reconnus avec émotion le mouchoir à fleurs brodé des initiales de ma mère, «C. M.», pour Caitleen MacAllan. Le joli petit peigne en ivoire blanc était le sien. Je l'avais souvent vue s'en servir pour coiffer les doux cheveux de ma sœur.

Ti-Khuan me désigna une photo.

– C'est ta famille ?

– Oui, dis-je d'une voix chancelante. Mes parents, ma sœur Sarah et moi.

Je me souvenais vaguement de ce cliché. La mention « 1882 » était écrite au verso. Nous semblions figés sous l'œil de l'appareil photographique. Mes parents souriaient. Sarah faisait une drôle de grimace. Quant à moi, j'étais vêtu de beaux habits repassés, mes cheveux étaient courts et mon visage trop lisse paraissait avoir été poudré. Crottin de citrouille, comme j'avais changé ! À présent, je portais une chemise écossaise pelucheuse, un pantalon de toile neuf dont les genoux étaient déjà râpés et des bottes trop grandes. J'avais une tignasse dense et bouclée que je ne brossais que lorsque j'étais sûr de croiser Charlotte. La vie rude et le travail dans la montagne m'avaient transformé en sauvageon !

– Et elle, c'est Sarah ?

Charlotte pointait le doigt vers l'autre cliché.

Je hochai la tête.

La photographie datée de 1883 montrait Sarah à l'âge de trois ans. Elle était assise sur une peau de bête devant un décor imitant la jungle. Son sourire était merveilleux, aussi lumineux que le soleil…

— Elle est si mignonne! s'émerveilla Charlotte.

— C'est pour elle que je travaille autant, déclarai-je. Quand j'aurai assez d'économies, j'irai la chercher.

— Tu as déjà une belle somme! remarqua Ti-Khuan en indiquant les billets de banque.

Je décidai de les compter: il y avait dix billets de dix dollars, une vraie fortune! Mon père ne m'avait rien laissé à son décès. Prétextant que la banque était pour les voleurs ce que le miel était pour les ours et que notre baraquement pouvait être la proie des flammes, il gardait ses trésors sur lui au fond d'une poche secrète de son pantalon. La mort l'avait emporté avec toutes nos économies. Je ne voulais pas utiliser mon pantalon comme portefeuille. Mon travail était salissant et, par étourderie, je risquais de le laver sans enlever les billets. C'est pourquoi je plaçais l'argent de ma paie dans une boîte en fer cachée au fond de mon armoire, qui fermait à clef.

Toutes ces richesses en provenance de Port Moody auraient dû m'enivrer de bonheur. Pourtant, l'image de ces visages tant aimés et ces souvenirs de famille me firent l'effet d'une immense vague de mélancolie qui allait m'engloutir. La voix de Charlotte me parvint de loin.

— Je sais que ton père était arpenteur, qu'il travaillait sur le chantier et qu'il a subi un terrible accident en avril. Mais que lui est-il arrivé exactement?

— Il a été emporté par une avalanche.

Je ne souhaitais pas en dire davantage ni lui avouer que chaque grondement de la montagne et chaque rocher aperçu en train de dévaler la pente me crispaient les entrailles, me rappelant mon père disparu dans les profondeurs de la terre.

— Te voilà riche! me lança Ti-Khuan, qui sentait ma tristesse et essayait de me remonter le moral.

— Tu viendras avec moi sur la côte du Pacifique? lui demandai-je.

— On… on verra.

Je poussai un profond soupir, pensant à la chance que j'avais de connaître Ti-Khuan,

Bobcat et Charlotte. Je redoutais le jour où le destin nous séparerait.

– Et ça, qu'est-ce que c'est, Luke ? s'enquit Charlotte. C'est drôlement joli !

Pendant que nous discutions, elle s'était emparée de l'enveloppe que je croyais avoir vidée de son contenu. Elle l'avait retournée et secouée sans ménagement. Un petit objet en était tombé. Charlotte le tenait entre ses doigts fins et l'agitait sous mon nez.

En apercevant le minuscule coffret, je me sentis défaillir. Ti-Khuan me dévisagea, l'air horrifié. Nous avions tous deux reconnu la tabatière en or volée chez Kinder plusieurs mois auparavant.

La tabatière

Paniqué, je pris l'objet des mains de Charlotte afin de l'observer de plus près. C'était une tabatière, un récipient pour conserver le tabac à priser. Elle avait la taille et la forme d'une minuscule boîte d'allumettes plaquée d'or jaune. Le couvercle, constitué du même métal précieux, était incrusté d'une ancre, ainsi que d'un drapeau écossais − l'emblème de mon pays −, l'un des plus vieux drapeaux du monde, symbolisant la croix de Saint-André. Une rayure profonde partait du drapeau et se prolongeait sur un côté. Un petit morceau de papier gris était coincé à l'un des angles de la boîte et je l'ôtai avec mon doigt. J'ouvris la tabatière. Elle était vide. L'intérieur était brillant, couleur argent.

− Crottin de citrouille, soupirai-je, le visage décomposé.

— Qu'est-ce que c'est? me demanda Charlotte.

— Une tabatière.

— Elle est magnifique! Elle appartenait à ton père?

— Non.

— La forme, l'or, le drapeau écossais, l'ancre, la rayure! s'énerva Ti-Khuan, qui fixait l'objet en tâchant de garder la voix basse. Il n'y a aucun doute possible, Luke : c'est celle qui a été volée au magasin général!

— Je sais, Ti-Khuan. Crottin de citrouille...

— Quoi? fit Charlotte, sans comprendre.

Mes mains s'étaient remises à trembler. Quant à Ti-Khuan, il tiraillait sa natte comme chaque fois qu'il était tendu. J'entendis des mots s'échapper de sa bouche : *Feichang hao,* soit « tout est parfait » ou « très bien » dans sa langue maternelle. Ti-Khuan ne les prononçait que dans les situations les plus désespérées...

Charlotte avait perdu son ravissant sourire et s'impatientait :

— C'est quoi, cette histoire de vol?

J'étais plus déconcerté qu'elle, puisque je connaissais en partie les péripéties de cette tabatière. Je jetai un coup d'œil à la ronde pour m'assurer que personne ne nous avait vus et m'empressai de glisser la tabatière au fond de ma poche. Je n'avais pas quitté ma place, pourtant mon cœur battait aussi vite que si j'avais pourchassé un troupeau de dindons sauvages dans la prairie !

— C'est arrivé à la fin de l'hiver, je crois, commençai-je en m'adressant à Charlotte. On a volé ce truc à ton oncle dans son magasin. Il a posé une affiche dans sa vitrine, avec la description et le dessin de cet objet, et il a offert une récompense de cinquante dollars à la personne qui l'aiderait à le retrouver.

— Les gens en ont beaucoup parlé, précisa Ti-Khuan. On a tous cherché la tabatière pour essayer de recevoir la récompense !

— À cause de l'ancre représentée sur le couvercle, la blague circulait qu'un marin écossais avait fait naufrage dans les Rocheuses et qu'il fallait chercher un bateau accroché au sommet d'un arbre pour repérer cet objet précieux.

Charlotte ne souriait pas.

— Des habitants de Laggan ont accusé La Marmotte, le célèbre bandit, d'être le voleur, ajoutai-je. Après, il y a eu d'autres vols, ton oncle a retiré l'affiche de sa vitrine et on n'a plus jamais entendu parler de la tabatière en or.

Après une minute de silence qui me parut durer une éternité, Charlotte s'adressa à nous :

— Il doit exister des dizaines de boîtes semblables, avec une ancre et un drapeau sur le couvercle. Beaucoup d'Écossais ont immigré au Canada pour trouver du travail et bâtir la nouvelle voie ferrée. Qui vous dit que cette tabatière est la même que celle qui a été dérobée chez mon oncle ?

— C'est elle, j'en mettrais ma natte à couper ! lâcha Ti-Khuan.

— Ton oncle avait bien précisé que la boîte était abîmée et rayée sur le côté, près du drapeau, expliquai-je à notre amie. Exactement comme celle du colis.

Charlotte parut décontenancée. Elle demeura silencieuse un instant, puis elle me fixa de ses beaux yeux noirs et me posa la question que je redoutais tant.

— Comment expliques-tu que cet objet volé à mon oncle fasse partie de ton héritage ?

Je baissai la tête, l'air piteux.

– Je… je ne sais pas.

J'avais beau me concentrer, je ne trouvais aucune explication. La tabatière en or figurait bel et bien parmi les objets du colis mais, avant ce jour, je ne l'avais aperçue qu'en dessin dans la vitrine du magasin de Kinder. Je n'avais jamais vu mon père fumer et je savais qu'il détestait le tabac à priser.

Il s'agissait de feuilles de tabac broyées en fine poudre, que le priseur introduisait dans ses narines en inspirant par le nez. L'inhalation était censée griser ou soigner les migraines. Mon père racontait que l'expérience lui avait valu moult désagréments, dont des sensations de brûlure accompagnées d'éternuements semblables à ceux des chevaux.

Mes pensées s'entremêlaient. Mon père ne pouvait pas être coupable du vol de la tabatière écossaise, c'était impossible ! À la seule idée que Charlotte pût l'envisager, j'en avais la nausée.

Je me sentis soudain las et triste. Les paroles de la berceuse que chatonnait ma mère adorée me revinrent à l'esprit.

Mon p'tit loup
Tu es doux comme le miel
Agité comme les flots
et changeant comme le ciel
Plus vif que les vents
qui parcourent les plaines
Mais toujours aussi doux
que le plus doux des miels
Mon p'tit loup
Comme je t'aime !

— Il sera bientôt seize heures, déclara soudain Charlotte en se levant. Je dois rentrer.

— Veux-tu qu'on te raccompagne ? lui proposai-je.

— Non, ça va aller, merci.

— Tu ne parleras pas à ton oncle de la tabatière, n'est-ce pas ?

— Il faudra bien la lui rendre si elle lui appartient.

— Je te jure qu'on le fera ! Mais avant, je veux comprendre ce qui a pu se passer. Je ne veux pas qu'on accuse mon père d'être un voleur ! Il est innocent, je te le jure !

Charlotte se taisait, l'air songeur.

— Tu garderas le secret, Charlotte ? s'impatienta Ti-Khuan.

– C'est promis, soupira-t-elle.

Charlotte alla caresser les museaux de Wednesday et de Kiaokéli, puis elle nous salua de la main, et nous vîmes sa jolie silhouette disparaître au coin du baraquement des arpenteurs, en direction du centre de Laggan.

Albert

Dès que Charlotte fut partie, je m'affairai à ranger mon héritage. Je mis les objets provenant de ma famille et les billets de banque dans mon armoire fermant à clef. Je glissai la lettre de Neeson, l'enveloppe vide de mon colis et la mystérieuse tabatière en or au fond de la besace que Bobby, le contremaître, m'avait offerte. C'était une sorte de sac en toile brune que je laissais fixé autour du ventre de Wednesday. Je pouvais le détacher et le porter en bandoulière pour m'en servir comme bagage.

— Tu gardes la tabatière sur toi? chuchota Ti-Khuan en caressant sa jument.

— Oui. Je vais peut-être aller voir le juge Morgan et la lui montrer. Je suis sûr qu'il m'écoutera et qu'il me croira si je lui dis que mon père est innocent.

— C'est une bonne idée.

— Entre nous, Elliott Kinder n'est pas le gars le plus accueillant de la région… S'il apprenait que Charlotte fréquente le fils d'un voleur, ce serait le début de la fin de Luke MacAllan et je finirais pendu au bout d'un sapin.

Ti-Khuan, qui était occupé à détacher Kiaokéli de son anneau, éclata de rire.

— Ce n'est pas drôle, protestai-je. Je me souviens quand il a fallu que nous rencontrions Kinder dans son magasin pour qu'il décide s'il allait autoriser Charlotte à nous fréquenter le dimanche. J'ai cru qu'il examinerait nos dents et nos gencives comme pour repérer un bon cheval !

— C'était normal qu'il se renseigne, Luke. Mets-toi à sa place. On n'a plus de famille et on ne va pas à l'école. Moi, je suis Chinois, j'ai quatorze ans et je suis porteur, et toi, tu es peut-être Écossais, mais tu n'as que onze ans et tu ramasses des traverses avec ton cheval !

Ti-Khuan avait sans doute raison. Aux yeux des adultes, notre compagnie était peu recommandable pour une jolie fille allant à l'école de Calgary et venant passer ses vacances d'été chez son oncle propriétaire du plus grand magasin de la région.

— Un Écossais de onze ans, fils d'un arpenteur, sur le point d'être accusé de vol, ajoutai-je sur un ton grincheux en grimpant sur Wednesday.

— Je connaissais ton père, Luke. Il était honnête et n'aurait jamais rien volé, même pas pour jouer un tour à quelqu'un ! Je suis certain qu'il y a une explication logique à cette histoire.

Ti-Khuan recentra la couverture qui lui servait de selle et monta Kiaokéli. La jument à la robe brun chocolat émit un petit son de contentement en secouant la tête.

— Crottin de citrouille, si Charlotte n'avait pas été au courant, j'aurais pu jeter la tabatière dans la rivière ! éclatai-je, furieux.

— Tu ne parles pas sérieusement ?

— Si. Personne n'aurait jamais su qu'elle avait été retrouvée et j'aurais eu la paix ! Mais c'est impossible maintenant que Charlotte sait tout… Si je ne rapporte pas la tabatière à son oncle, elle l'apprendra, mais si je la lui donne maintenant, Kinder traitera mon père de bandit !

— Qu'est-ce que tu vas faire ?

— On a oublié Albert, le collègue de mon père ! me rappelai-je soudain. Avant d'aller voir le juge, il faut que je lui parle. Il sait peut-être des choses à propos de mon héritage et de cette tabatière, puisque le notaire le mentionne dans sa lettre. Je vais y aller tout de suite.

— Je t'accompagne !

Albert O'Brien était arpenteur, comme mon père. Cet homme discret ne parlait pas beaucoup. Après la tragédie de l'avalanche, j'avais cru comprendre qu'il s'occuperait de moi. Mais il était reparti en expédition très vite. Lorsque le juge Morgan m'avait offert Wednesday, O'Brien m'avait appris à le monter. Il me donnait parfois des marchandises, de vieux journaux ou de la nourriture. Mais il semblait toujours gêné en ma présence et, avec le temps, j'avais fini par l'être autant que lui.

O'Brien passait ses dimanches dans la baraque à outils pour ajuster les instruments de mesure des arpenteurs-géomètres. Je ne fus donc pas surpris de l'y trouver lorsque Ti-Khuan et moi arrivâmes sur nos chevaux. Il était installé à l'extérieur de la cabane et manipulait de drôles de machines aux côtés de trois collègues.

— Bonjour, le saluai-je en descendant de ma monture.

Les quatre hommes nous jetèrent un coup d'œil avant de se remettre au travail. De toute évidence, nous les dérangions. Je donnai la bride de Wednesday à Ti-Khuan, resté sur son cheval.

— Est-ce que je peux te parler, Albert ?

— Oui, me répondit-il sans lever la tête de son ouvrage.

— Euh… c'est personnel.

O'Brien me regarda enfin. Ses yeux bleu clair ressemblaient à deux lacs de montagne et son regard paraissait aussi glacial. Il demeura silencieux.

— C'est à propos de mon père, précisai-je.

Il ne parut ni surpris, ni content, ni exaspéré. Il posa ses outils et se leva pour venir à ma rencontre. Nous nous éloignâmes en marchant côte à côte sur le chemin de terre, à l'abri des oreilles indiscrètes.

— J'ai reçu un colis de Port Moody, commençai-je. C'est un notaire qui me l'a envoyé. Il s'appelle Mortimer Neeson. Le paquet contient des objets et une lettre de Neeson. Il m'explique que c'est mon père qui souhaitait que je possède ces objets. Savais-tu que je devais recevoir tout ça ?

— Ton père m'avait donné l'adresse de Neeson et demandé de le prévenir s'il lui arrivait malheur. J'ai fait ce qu'il m'a demandé, c'est tout.

— Est-ce qu'il t'avait parlé de... mon héritage ?

— Non.

— Tu ignorais ce qu'il me laisserait ?

— Oui.

— Sais-tu s'il possédait une tabatière ?

— Ça m'étonnerait.

— Quelqu'un aurait-il pu lui en offrir une ?

— Pourquoi ? Clyde ne fumait pas, ne chiquait pas et ne prisait pas non plus le tabac.

Je soupirai. Quelques minutes s'écoulèrent. O'Brien me fixa d'un œil impatient, comme s'il souhaitait retourner à son ouvrage. Puisque je n'avais plus aucune question à lui poser, notre conversation prit fin.

L'examen

Après avoir rencontré O'Brien, Ti-Khuan et moi passâmes à l'hôtel de Laggan pour nous entretenir avec le juge, qui habitait au dernier étage. Mais son bureau était fermé et Eleanor, la propriétaire des lieux, nous apprit qu'il était allé souper chez un ami. Je décidai de remettre ma visite au lendemain matin. Je demanderais à Bobby la permission de commencer plus tard ma journée sur le chantier ; parce qu'il m'aimait bien et que j'étais un bon travailleur, j'étais certain qu'il accepterait.

Ti-Khuan me proposa d'aller manger au campement chinois. Les ouvriers travaillant ce dimanche-là n'allaient pas tarder à quitter leur ouvrage et à regagner leurs quartiers, la faim au ventre. Si nous voulions un bon bol de bouillon, il nous fallait nous hâter !

Une fois arrivés à destination et nos chevaux attachés à la barrière, près du pont, je détachai la besace en toile fixée à Wednesday et la mit en bandoulière.

Aux cuisines, Oliver nous servit un large bol de bouillon parfumé dans lequel flottaient des nouilles molles, des morceaux de viande roses, et des pousses vertes et croquantes. Ti-Khuan et moi allâmes nous installer sur la rive herbeuse de la Bow pour déguster notre repas – et discuter à l'abri des curieux !

– Albert O'Brien ne t'a donc rien appris de nouveau, conclut Ti-Khuan.

– C'était à prévoir. Il est aussi bavard qu'un poisson !

– Ton père a pu acheter la tabatière en or sans savoir qu'il s'agissait d'un objet volé, puis l'envoyer au notaire pour qu'il l'ajoute à ton héritage. Imagine qu'il souhaitait te faire une surprise…

La bouche pleine, je hochai la tête avec vigueur. Après avoir dégluti une longue nouille, j'expliquai à mon ami :

– C'est impossible, Ti-Khuan ! Je ne sais pas combien vaut cette boîte, mais ça m'étonnerait que mon père ait eu envie de l'acheter! Et puis, il était au courant du vol. Il avait vu l'affiche dans la vitrine de Kinder. Il aurait reconnu la tabatière et n'aurait jamais accepté qu'on la lui vende. En plus, il détestait le tabac!

— O.K.

Ti-Khuan avait déjà fini de manger. Il posa son bol vide et sa cuillère sur l'herbe, l'air pensif.

— Si la sacoche en cuir de vachette était béante et si les objets étaient pêle-mêle dans ton paquet, c'est peut-être parce que quelqu'un a ouvert ton colis en vitesse pour y mettre la tabatière.

— Si un bandit avait ouvert mon enveloppe pour y placer un truc volé, je suis sûr qu'il se serait emparé de mes cent dollars!

— Oui, c'est vrai…

— Neeson a dû mal nouer la cordelette de la sacoche quand il a préparé mon paquet, c'est tout. Mon enveloppe était cachetée avant que je tranche la ficelle qui l'entourait. Je suis certain que personne ne l'a ouverte avant moi.

— Alors, c'est Neeson, le bandit.

– Quoi ?

– Il a pu placer la tabatière dans le colis pour faire croire que ton père a commis le vol.

– Pourquoi il ferait ça ?

– Je ne sais pas.

– Ce n'est pas logiq…

– Montre-moi ton enveloppe ! m'interrompit soudain Ti-Khuan.

Ses yeux noirs brillaient d'un éclat inhabituel. Mon ami semblait être l'objet d'une illumination. Sans chercher à comprendre, je déposai mon bol vide sur le sien et ouvrit ma besace pour prendre l'enveloppe envoyée par Neeson. Ti-Khuan s'en empara avec une précaution infinie.

– À quoi penses-tu ? lui demandai-je, intrigué.

– À un truc…

Ti-Khuan tourna l'enveloppe de tous les côtés. L'épais papier gris était conçu pour résister aux chocs. Ti-Khuan l'inspecta avec minutie, toucha l'adresse du bout des doigts, étudia les froissures du papier et tordit l'enveloppe sur elle-même à la manière d'un linge mouillé qu'on essore pour en extraire l'eau. Puis, il s'arrêta net.

— Heureusement que j'ai vérifié ! Regarde, Luke.

Il plaça l'enveloppe sous mon nez. Au centre, dans un des plis du papier, j'aperçus une fine fente d'une longueur de trois centimètres environ, ainsi qu'un minuscule accroc.

— Ce n'est pas mon couteau qui a fait ça, m'étonnai-je. Je ne l'ai utilisé que pour couper la ficelle et le côté du paquet, et j'ai fait attention.

— Je sais.

— Le colis est dans un sale état, il a dû s'abîmer durant le voyage.

— Donne-moi la tabatière, m'ordonna Ti-Khuan.

Je la sortis de ma besace et la lui tendis. Ti-Khuan la passa à travers l'ouverture pratiquée dans l'enveloppe.

— Je crois plutôt que c'est un coup de canif, moi ! s'exclama-t-il. On dirait que quelqu'un a pratiqué cette incision pour y introduire la tabatière !

— Crottin de citrouille, lâchai-je, abasourdi.

Je pris l'enveloppe et la tabatière pour imiter les gestes de mon ami : l'objet passait par la fente de façon impeccable. L'épaisseur du papier et l'état du colis ne nous avaient pas permis de percevoir cette anomalie avant que Ti-Khuan ne la cherche.

— Tu te souviens du morceau de papier gris accroché à la tabatière ? me dit-il.

— Euh… oui.

— Il devait provenir de ce trou fait dans l'enveloppe.

— Crottin de citrouille, tu as raison ! Il était de la même couleur ! En fendant l'enveloppe en papier et en glissant la tabatière à l'intérieur, le gars a dû en déchirer un minuscule morceau qui s'est pris dans la tabatière !

— Exactement.

— Cela prouve que mon père est innocent et que cet objet ne se trouvait pas dans les affaires qu'il me léguait !

— Oui. Enfin, je crois. Reste à savoir pourquoi on l'a mis dans ton paquet !

— Et qui !

Des voix nous parvinrent du pont en bois enjambant la Bow. Je vis des ouvriers le traverser. Leur journée de travail était terminée. L'obscurité gagnait la vallée et, dans moins d'une heure, il ferait nuit noire. Avec discrétion, je replaçai les objets dans ma besace en toile.

— Je dois rentrer, annonçai-je à Ti-Khuan en me levant. J'ai beau y penser, je ne comprends pas pourquoi quelqu'un agirait ainsi. J'irai voir Morgan demain. Il me dira quoi faire.

— J'irai avec toi si tu veux. Je ne travaille pas demain matin.

— Super, Ti-Khuan. Rendez-vous à neuf heures devant l'hôtel de Laggan.

— O.K. Bonne nuit, Luke !

Le baraquement A-08

Je grimpai sur ma monture et pris sans tarder le chemin du baraquement des arpenteurs. Laggan offrait des activités qui satisfont les noctambules. Je n'aimais pas traîner seul dans les bois ni dans les ruelles du camp de base — surtout depuis ma rencontre avec les infâmes Douglas et Simons[*]. D'autant plus que, cette nuit-là, je portais sur moi de nouveaux trésors.

Les ouvriers avaient l'habitude de passer du temps autour des feux de camp, de rire et de discuter fort ou de jouer aux cartes jusqu'aux petites heures. Ils étaient nombreux — plus de douze mille — et certains cherchaient la bagarre ou complotaient pour tenter d'acquérir de l'alcool, pourtant prohibé. Je préférais me balader à cheval avec

[*] Lire *Terreur sur la ligne d'acier* (tome 1).

Ti-Khuan ou gagner mon dortoir dès la nuit tombée pour me reposer et vaquer à mes occupations : nourrir Wednesday, le brosser et soigner ses sabots, me laver dans le baquet d'eau chauffée par le soleil, cirer mes bottes, nettoyer mes vêtements, lire et relire les vieux journaux que me donnait Albert, écrire quelques lignes pour pratiquer mon alphabet, aiguiser mon canif, rêver de Charlotte...

Charlotte... Elle nous accompagnait parfois au cours de nos promenades à cheval. Elle montait en amazone sur Wednesday, derrière moi, et passait ses bras gracieux autour de ma taille. J'attendais avec hâte que des boucles de ses longs cheveux roux et soyeux s'échappent au vent pour venir glisser sur ma joue. Mon cœur battait à tout rompre. J'avais l'impression que Wednesday et moi transportions une fée à travers les montagnes et que nous allions parcourir le monde en sa compagnie durant l'éternité. Les promenades n'étaient jamais longues, hélas ! car Eliott Kinder était très sévère. À mon grand désespoir, Charlotte devait être rentrée chez son oncle à seize heures tous les dimanches.

J'étais en train de penser à elle et à cette mystérieuse histoire de tabatière – capable de dynamiter notre relation comme la nitroglycérine, une montagne ! – lorsque je vis les arpenteurs du baraquement A-08. Profitant de la douceur de la soirée, ils s'étaient installés à l'extérieur de la cabane, autour d'un feu de camp, pour se préparer un repas. Je reconnus parmi eux Albert O'Brien.

– Tu as mangé, MacAllan ? me lança-t-on.

– Oui, merci.

Plusieurs arpenteurs avaient connu mon père et me traitaient avec gentillesse. En dehors de l'heure des repas – le matin comme le soir, il s'en trouvait toujours un pour m'offrir un plat de haricots, du pain, du fromage, du jambon, du café ou des biscuits à la mélasse –, ils ne s'occupaient pas de moi, oubliant sans doute que je n'avais que onze ans…

J'attachai Wednesday à son anneau et allai aussitôt chercher son seau rempli de grains. Puis, je mis ma besace en bandoulière et entrai dans la cabane de bois rond.

Ma couche se trouvait au fond du dortoir. Chacune était identifiée par une planche

portant les initiales de son occupant. Mon père m'avait fait la surprise d'écrire mon nom au complet sur un morceau de cuir à l'aide d'une pointe chauffée dans le feu. Je n'avais pas ôté cet objet qui ornait mon lit et qui me rappelait chaque soir son affection et son amour...

C'est en arrivant à proximité que j'aperçus le fouillis.

La surprise me paralysa.

On avait soulevé mon drap et retourné mes deux couvertures. On avait ôté un de mes lassos du crochet qui me servait de porte-manteau. On avait bougé l'armoire dans laquelle je rangeais mes effets personnels, mes trésors et ma boîte en fer, mes habits et mes affaires de toilette – et les vieux vêtements de mon père. L'armoire était bien fermée, mais des marques sur sa serrure montraient qu'on avait tenté de l'ouvrir. Mon oreiller en plumes de canard avait été malmené et gisait sur le plancher. Stupéfait, je m'avançai pour le ramasser en jetant un œil sous mon lit. Mon matelas était fendu à plusieurs endroits, comme si on y avait donné des coups de couteau.

J'examinai l'intérieur du dortoir. Le désordre était habituel. Si je n'étais pas le plus ordonné des travailleurs, j'étais plus soigneux que bien des arpenteurs, qui laissaient leurs effets personnels pêle-mêle sur leur lit durant la journée. Aucun d'entre eux n'avait dû remarquer qu'on avait fouillé mon coin !

— Crottin de citrouille, murmurai-je, sous le choc.

Mes pensées s'embrouillaient. Il n'était plus question que je passe la nuit dans cette cabane ! On racontait qu'un poseur de rails avait été assassiné durant son sommeil sans que personne ne s'en aperçoive. Ses collègues l'avaient découvert au petit jour, éventré dans ses draps rougis… Et si l'individu qui avait osé mettre mes affaires sens dessus dessous me réservait un sort semblable ? Et s'il revenait cette nuit achever sa besogne ? Et s'il s'agissait de Chuck Wood, dit La Marmotte, un bandit semant la terreur dans l'Ouest canadien et dont on avait placardé le visage sur le mur des baraques et le tronc des gros arbres ?

Des habitants de Laggan avaient accusé La Marmotte d'avoir volé la tabatière en or… Se pouvait-il qu'il m'ait vu la tenir ou qu'il ait appris que je la possédais ? Était-il venu explorer le dortoir pour récupérer son butin ? Était-ce le hasard qui voulait qu'on s'en soit pris à mes objets personnels le jour même où j'avais hérité de ce machin en or ?

Un frisson me parcourut l'échine. Je repensais à la photographie de La Marmotte sur l'affiche promettant mille dollars de récompense à la personne qui permettrait de l'arrêter. Je revoyais son visage et ses yeux rapprochés, sa moustache triangulaire, et ses cheveux courts et denses comme les poils d'un blaireau. Il devait son surnom à ses talents pour se cacher et déjouer ses poursuivants, et on le suspectait des crimes les plus atroces. Cet ignoble individu était peut-être venu traîner ses sales bottes sur le plancher du baraquement A-08...

Je devais partir d'ici et parler à Ti-Khuan au plus vite !

Je remis un semblant d'ordre dans mes affaires et vérifiai le contenu de mon armoire. Tout était à sa place. Je sortis du dortoir, ma besace en bandoulière.

— Tu t'en vas, MacAllan ? s'étonna un arpenteur en me voyant détacher Wednesday.

— Euh… oui.

Les hommes me regardèrent, intrigués. J'hésitai un instant, ne sachant si je devais les mettre au courant. Il y en avait, parmi eux, que je ne connaissais pas. Après tout, que pouvais-je leur raconter ? On ne m'avait rien volé… Je préférais déguerpir de là et réfléchir à la suite des événements avec Ti-Khuan.

— J'ai oublié une chose chez mon ami Ti-Khuan, prétendis-je. Je coucherai au campement des Chinois.

— O.K.

— Vous n'avez rien cherché dans mes affaires, par hasard ? demandai-je au groupe d'hommes.

Ils échangèrent des regards surpris, puis hochèrent la tête.

— Et vous n'avez vu personne tourner autour de mon lit ?

Ils hochèrent de nouveau la tête, avant de reprendre leur discussion.

Je grimpai à la hâte sur Wednesday et, après quelques pas sur le chemin de terre, lançai ma monture au galop en direction du campement chinois.

– Hi ha !

Mon premier galop…

Depuis que Wednesday partageait ma vie, je n'avais jamais osé le faire courir ainsi, me sentant à la fois trop inexpérimenté et trop intimidé…

Je sentis mon cheval se déployer sous moi. Aussi souple qu'un roseau sauvage, aussi puissant qu'une locomotive, Wednesday fendit l'air en soulevant la poussière, qui se mêla aux étoiles.

Sous la tente

Je vis bientôt les premières lueurs du campement chinois. Perçant la nuit noire, des lan-
ternes et des lampions éclairaient les tentes.
Les feux de camp dégageaient de minus-
cules flammèches qui s'élevaient jusqu'au
sommet des arbres.

La jument de Ti-Khuan était attachée à la
barrière, près de la rivière. J'y attachai aussi
Wednesday et l'y laissai, non sans lui avoir
prodigué des caresses pour le remercier de
sa course effrénée et de sa bienveillance à
mon égard.

Ti-Khuan était assis autour du feu de
camp et discutait avec ses sept compagnons
de tente. Il se leva dès qu'il me vit. La panique
se lisait sur son visage.

— Luke ? Que se passe-t-il ?

Ses compagnons cessèrent de parler et
m'examinèrent des pieds à la tête.

— Quelqu'un est venu fouiller dans notre dortoir, lui répondis-je dans un souffle. Est-ce que je peux coucher sous ta tente cette nuit?

Ti-Khuan parut stupéfait.

— Bien sûr! fit-il après un instant.

Il se tourna vers ses camarades, qui ne comprenaient ni ne parlaient l'anglais. Ti-Khuan leur parla en chinois. Un homme ricana, les autres hochèrent la tête.

— Viens, me proposa Ti-Khuan.

Il souleva la porte en toile et pénétra dans la vaste tente abritant huit lits de camp et trois coffres. Je le suivis.

— J'ai raconté à mes amis que tu avais aperçu un coyote près de ta cabane et que tu avais peur d'y dormir. Comme ça, ils nous ficheront la paix et ne nous poseront pas de questions.

Je pardonnai ce mensonge à mon ami, qui ne tarderait pas à apprendre que je craignais plus les marmottes que les coyotes...

Ti-Khuan déplaça son équipement de travail — cordes, boussole, piolets, lampe à pétrole, boîte à pharmacie et sacs — qui encombrait les abords de son lit. Je m'y assis en déposant à terre mon chapeau et ma besace couverts de poussière depuis le galop de Wednesday. Ti-Khuan s'installa à mes côtés.

— Raconte-moi ce qui s'est passé, Luke.

— En arrivant dans la cabane des arpenteurs, j'ai constaté que quelqu'un avait déplacé mes affaires et mis tout à l'envers. On a essayé d'ouvrir mon armoire et on a donné des coups de couteau dans mon matelas !

— Quoi ?

— Les arpenteurs étaient dehors, en train de se préparer à manger. Je leur ai demandé s'ils avaient aperçu quelqu'un en train de rôder ou un truc bizarre. Ils m'ont assuré qu'ils n'avaient rien vu ni personne.

— Qui te dit que le coupable n'est pas l'un d'eux ?

— Non… Je crois qu'ils sont corrects.

— Tu ne penses pas qu'Albert O'Brien a essayé de te voler la tabatière en or ?

— Non, Ti-Khuan ! Et puis, je ne lui en ai même pas parlé ! En tout cas, je ne veux pas dormir là-bas ! Crottin de citrouille, imagine que c'est La Marmotte qui a fouiné dans mes affaires !

— Pourquoi aurait-il fait ça ?

— Il nous a peut-être espionnés !

— *Feichang hao*, lâcha Ti-Khuan, dont les yeux traduisaient la frayeur.

Nous restâmes un instant silencieux, puis les compagnons de Ti-Khuan entrèrent dans la tente pour se coucher.

Ti-Khuan me confectionna un oreiller à l'aide d'une couverture. J'ôtai mon chapeau, mes bottes, mes bretelles et mon pantalon, et nous nous installâmes dans son lit, tête-bêche. Ce n'était pas la première fois que Ti-Khuan m'accueillait… Il m'avait offert l'hospitalité durant trois violents orages, quand un incendie avait ravagé une cabane près de celle des arpenteurs et lorsqu'un vieil ours malade avait été aperçu errant dans les bois.

Exténué, je mis ma besace contre mon cœur et m'endormis aussitôt.

Chez le juge

Lorsque je me réveillai, la tente était déserte. Je me vêtis en vitesse, enfilai ma besace en bandoulière et sortis de la maisonnette en toile. Assis en tailleur près du feu sur lequel une théière chauffait, Ti-Khuan sirotait un bol de thé. Il faisait grand jour. Le campement semblait inanimé, les ouvriers chinois étant déjà partis travailler sur le chantier de construction de la voie ferrée.

— Salut, Ti-Khuan.

Mon ami me salua d'un signe de tête. Je pris place à ses côtés. Il m'offrit du thé et des galettes de riz sucré. Le soleil était éclatant, et les oiseaux de la forêt chantaient à tue-tête. Pas un nuage n'encombrait le ciel.

— Il est sept heures trente, déclara Ti-Khuan, anxieux. On doit rencontrer le juge le plus vite possible. Je n'arrête pas de penser à cette histoire de tabatière et à ce qui t'arrive. C'est peut-être très dangereux, Luke !

– On partira dès que je me serai débarbouillé dans la rivière et qu'on aura fait boire nos chevaux, c'est promis, lui dis-je en croquant dans une galette. Il faudra passer à la cabane des contremaîtres pour prévenir Bobby que je ne pourrai pas travailler ce matin.

Rassuré au sujet de mes intentions, Ti-Khuan hocha la tête.

Le juge Morgan était un ami du photographe pour lequel Ti-Khuan travaillait. Nous l'avions déjà rencontré. Il habitait au dernier étage de l'hôtel situé en face du poste de la police montée.

Jason Morgan était chargé de faire respecter la loi dans la région et avait bonne réputation. Nous le trouvâmes assis devant son bureau recouvert de cuir, en train de griffonner des notes dans un calepin. Je le reconnus sans peine. Il était plutôt rond, dans la soixantaine et presque chauve. Il portait des lunettes carrées ainsi qu'une longue barbe blanche.

— Tiens, tiens ! s'exclama-t-il en nous apercevant. Ti-Khuan Wu et Luke MacAllan ! Quel bon vent vous amène, les garçons ?

Après l'avoir salué, je lui expliquai notre mésaventure et lui parlai de la tabatière en or, de la fente et de la déchirure observées dans l'enveloppe envoyée par Mortimer Neeson, du méfait commis contre moi dans le baraquement des arpenteurs, la veille, et de mes soupçons concernant Chuck Wood, dit La Marmotte.

Morgan parut songeur. En m'écoutant, il avait lâché sa plume et s'était mis à tripoter la montre à gousset qui pendait à son veston. Il s'agissait d'une sorte de manie chez lui.

Je sortis de ma besace la lettre de Neeson, ainsi que la tabatière et l'enveloppe trouée, pour les lui montrer. Morgan se leva et vint vers moi. Il jeta un coup d'œil sur la lettre, examina le paquet et reconnut la petite boîte en or rayée ornée de son ancre et de son drapeau. Selon lui, aucun doute n'était possible : il s'agissait de la tabatière écossaise dont Kinder avait affiché le dessin et la description dans sa vitrine six mois auparavant. Il me remit les objets et retourna s'asseoir.

— Luke, je te conseille d'aller vite rapporter cette tabatière à son propriétaire, déclarat-il en me fixant de ses yeux perçants. Pour le reste, je vais prévenir la police montée et lui demander d'ouvrir l'œil. Mais, tu sais, il ne faut pas se faire d'illusion. Des milliers d'hommes travaillent dans la région. Il y a beaucoup de vols sur le chantier et sur le camp de base de Laggan. On y dérobe n'importe quoi! Des chevaux, des tentes, des bijoux, des vêtements, des boîtes à casse-croûte, voire des clous! C'est décourageant. Les stratagèmes des voleurs sont nombreux et variés. Cette histoire de fente dans un colis ne me surprend pas, même si j'ai du mal à saisir les intentions du coupable…

— Et La Marmotte? dis-je.

— Il y a des semaines que personne ne l'a vu rôder dans les parages. Ce qui ne signifie pas qu'il n'est pas à Laggan… Cet individu est sournois comme un serpent et malin comme un singe. Continue de surveiller tes effets personnels, mon garçon, et recommande aux arpenteurs de bien fermer leur dortoir durant le jour. Explique-leur qu'un inconnu s'est introduit dans la cabane. Moi, je demanderai aux policiers d'effectuer des rondes dans votre secteur.

— D'accord, acquiesçai-je, rassuré.

— Monsieur le juge, est-ce qu'un inconnu peut glisser un objet dans un colis à l'intérieur de la diligence postale ? lui demanda Ti-Khuan.

— Ça m'étonnerait beaucoup, jeune homme. Les colis prioritaires sont dans des coffres. En revanche, on peut voler la diligence et partir avec son contenu si on a du front tout autour de la tête et les poches bourrées de munitions !

— Quand avez-vous reçu le colis de Luke ?

— Hier après-midi.

— La diligence postale distribue le courrier le dimanche ?

— Celle qui vient de l'Ouest, oui. Deux fois par mois. Ce n'est pas pratique, parce que moi, le dimanche après-midi, je vais à la messe. Je ne peux pas traiter le courrier prioritaire dès l'arrivée de la diligence.

— Les paquets importants sont donc déposés au bureau de poste en attendant que vous vous en occupiez ? devina Ti-Khuan.

— Non, dit Morgan avec fermeté. Rusty, le responsable de la diligence, est consciencieux dans son travail. Il ne dépose nulle part les paquets importants, surtout qu'il a le devoir de me remettre certains d'entre eux en mains propres. Il s'écoule une trentaine de minutes entre l'arrivée de sa diligence et la sortie de la messe. Rusty patiente et me retrouve à mon bureau vers quinze heures. Je me charge alors de donner mes ordres à Richards pour qu'il assure la distribution des colis prioritaires.

— Il faudrait savoir ce que Rusty a fait pendant qu'il vous attendait, avançai-je. Une personne aurait pu profiter de son absence pour glisser la tabatière dans mon paquet.

— Bonne idée ; je te conseille de lui poser la question dans deux semaines, lorsque sa diligence le ramènera à Laggan, soupira Morgan en se levant de son fauteuil.

— À moins que ce soit Abraham Richards. S'il possédait la tabat…

— Richards est le plus droit et le plus loyal de mes hommes ! me coupa Morgan, insulté. Ce n'est pas pour rien que je l'ai choisi pour distribuer les colis prioritaires ! À présent, je vous demande de me laisser, les garçons. Je pars pour Calgary dans une heure et j'ai encore deux ou trois choses à régler. Promettez-moi de restituer la tabatière à Elliott Kinder dans les plus brefs délais. De mon côté, je m'occupe de prévenir les policiers de Laggan pour qu'ils mènent leur petite enquête et pour qu'ils puissent débusquer cette satanée Marmotte si cette sale bête a décidé de se terrer dans le coin !

Kinder

Le magasin général d'Elliott Kinder était situé dans la rue principale de Laggan. Ti-Khuan et moi attachâmes nos chevaux aux anneaux près de l'abreuvoir, au pied des marches menant à la boutique.

Ce n'était pas de gaieté de cœur que nous rendions visite au commerçant. Mais je venais de promettre au juge Morgan de rapporter la tabatière à son propriétaire et je comptais tenir ma parole.

Le magasin Kinder était le plus vaste et le mieux approvisionné de la région. Un vrai coffre aux trésors ! On y trouvait des rangées de bocaux en verre transparent montrant des bonbons colorés, différentes sortes de thé et de farine, des épices, du café et des céréales. Des pommes de terre et des navets surgissaient de sacs en toile posés sur le plancher. Des bouteilles remplies de limonade s'alignaient près de bidons d'huile. On pouvait aussi acheter des journaux, du papier et des crayons, des remèdes pour les maux les plus courants, des sirops et des pastilles, des bougies, des lampes et du matériel de toute sorte comme des sacs en cuir, des boîtes de cartouches, des fers à cheval ou des cannes à pêche. Des pelles, des pioches, des cordes de tous les diamètres, des seaux, des balais et des fourches étaient suspendus aux poutres. Ce qui m'impressionnait le plus, c'était la collection de vêtements : manteaux et chapeaux de fourrure, bottes, maillots, caleçons, chandails et chemises écossaises, bas de laine, etc. J'avais acheté chez Kinder mes bretelles, un maillot rouge et mon pantalon.

Dans le fond du magasin, près d'une vitrine abritant des objets précieux tels que boussoles, bijoux et montres, se trouvait le large comptoir sur lequel Kinder déposait les jambons, le lard, les œufs, les pains et les biscuits frais, et surtout sa caisse. Derrière, une armoire remplie de revolvers, de carabines et de couteaux ornait le mur et dissuadait – ou attirait – les voleurs.

Jusqu'à ce que je connaisse Charlotte, j'adorais cet endroit. À présent, c'était différent. Son oncle m'effrayait. Je n'étais plus un client anonyme. Je me sentais épié dès que je posais ma botte dans ce dédale de marchandises. La raison pour laquelle Ti-Khuan et moi nous y trouvions ce jour-là n'allait pas m'aider à vaincre mes frayeurs…

Il était normal que le magasin fût désert. En milieu de matinée, les ouvriers du camp de base de Laggan travaillaient sur le chantier. Elliott Kinder lisait un journal étalé sur son comptoir. Lorsqu'il nous entendit venir, il leva la tête.

— Qu'est-ce que vous voulez? s'enquit-il d'un ton bourru.

J'avais décidé d'être direct. Mon intuition me disait que Kinder manquerait de compréhension à notre égard. Plus vite Ti-Khuan et moi sortirions de cette boutique, meilleures seraient nos chances de nous en remettre.

— Bonjour, monsieur Kinder, commençai-je, peu rassuré. Nous avons retrouvé votre tabatière écossaise. Celle qui est en or, avec une ancre et un drapeau dessus.

Elliott Kinder nous dévisagea bizarrement, comme si nous venions de lui proposer d'acheter un hectare de forêt sur la lune. Sans attendre ses commentaires, je poursuivis mes explications.

— Hier, j'ai reçu un colis venant de Port Moody contenant des souvenirs de famille. Quelqu'un l'avait fendu pour y mettre la tabatière. On ne sait pas pourquoi. En tout cas, même le juge Morgan l'a reconnue, et c'est bien celle qu'on vous a volée !

Je sortis la tabatière de ma besace et la déposai sur le comptoir. D'une certaine façon, je me sentais soulagé : ce machin en or ne nous causerait plus de tracas. Kinder reconnut aussitôt la jolie petite boîte brillante et s'en empara.

— Sapristi ! Explique-moi ce que ma tabatière foutait dans ton paquet !

— Je l'ignore, lui avouai-je d'une voix de souris.

— Quelqu'un a sans doute voulu s'en débarrasser ou la cacher, intervint timidement Ti-Khuan.

— Qui ça ?

Kinder avait crié tout en examinant sa tabatière avec l'œil possessif d'un écureuil qui dorlote la dernière noisette de sa réserve. Affolée, Charlotte apparut derrière lui, dans le cadre de la porte de service.

– On… on ne sait pas qui, balbutiai-je. Le juge Morgan nous a juré que les policiers mèneraient une enquête.

Charlotte parut apaisée et me sourit. Elle s'approcha de son oncle pour regarder la tabatière, ouvrant si grand ses beaux yeux qu'on aurait juré qu'elle l'apercevait pour la première fois de sa vie.

– Qu'est-ce qu'elle est jolie et comme tu dois être content, mon oncle !

– Elle vient d'Écosse ; c'est un marin venu travailler sur le chantier qui me l'a vendue, lui expliqua-t-il avec fierté. Il paraît qu'elle a appartenu à un célèbre capitaine assassiné par un pirate au large des côtes africaines. Elle m'a été volée en plein magasin alors qu'il y avait foule. Tu imagines ?

J'étais soulagé. Je fis signe à Ti-Khuan de nous en aller.

– Où est-ce que vous partez comme ça ? dit Kinder.

Je lançai un coup d'œil vers Ti-Khuan, qui parut aussi surpris que moi.

— On… on s'en va, bafouillai-je. On doit travailler. On était venus vous rendre la tabatière, c'est tout.

— Tu penses que tu vas t'en tirer comme ça, MacAllan ? Qui me garantit que ce n'est pas toi et ton copain qui avez fait une fente dans le colis pour inventer toute cette histoire ?

— Mais non…

— Mon oncle, intervint Charlotte, désemparée, Luke et Ti-Khuan sont allés voir le juge, et la police est au courant. Les policiers vont même mener une enquête sur le vol, Luke te l'a dit !

— Une enquête ? gloussa Kinder, ironique.

Kinder se tourna vers moi et me fixa d'un regard menaçant.

— Pour moi, c'est toi, le coupable, ou bien ton père, MacAllan ! Et tant que la police ne m'aura pas prouvé le contraire, je te conseille de ne plus mettre les pieds dans mon magasin, sapristi !

Western Terminus

L'après-midi fut consacrée au travail. Je m'y plongeai tête baissée afin d'oublier cette affreuse histoire. Le soir venu, je remis de l'ordre dans mes effets personnels. Je prévins les arpenteurs que quelqu'un s'était introduit dans notre dortoir pour fouiner et avait saccagé mon matelas. Ils me proposèrent gentiment de remplacer celui-ci et me donnèrent un gros cadenas pour protéger le contenu de mon armoire. Rien ne semblait plus suspect, mais j'avais encore peur et je ne dormis pas dans le baraquement A-08. Ti-Khuan accepta de m'accueillir une deuxième fois sous sa tente, expliquant à ses compagnons que le coyote dont la présence m'embêtait rôdait toujours.

La visite chez Kinder m'avait mis en colère et bouleversé à la fois.

Le regard menaçant du commerçant me poursuivit jusqu'à ce que je convinsse d'un plan avec Ti-Khuan. La réputation des MacAllan était en jeu! J'allais demander au juge Morgan de parler à Kinder dès son retour. Lorsque la diligence de Rusty reviendrait en ville, Ti-Khuan et moi lui poserions des questions sur le déroulement de son voyage ce dimanche-là. Et si Rusty ne nous apprenait rien de nouveau concernant cette affaire, j'écrirais à Mortimer Neeson. Il pouvait me dresser la liste des objets placés dans mon paquet. Si la tabatière n'y figurait pas, cela disculperait mon père. Crottin de citrouille, personne, pas même Kinder, ne mettrait en doute la parole d'un notaire!

Quant à Charlotte... Nos chances de la revoir avant que cette affaire soit réglée semblaient bien minces.

Mardi fut une longue journée de labeur. Ti-Khuan assuma sa tâche de porteur et partit avec MacFarley prendre des photographies de la rivière pour une revue de voyage vantant aux citadins les vacances à la montagne. Quant à moi, je poursuivis mon ouvrage sur le chantier, près de la scierie.

Des politiciens et des hommes d'affaires avaient décidé de construire un chemin de fer traversant le Canada, mais il ne suffisait pas de poser des voies sur le sol en partant de l'est vers l'ouest !

Mon père m'avait expliqué les trois étapes de la construction d'une voie ferrée. Il fallait d'abord choisir le chemin qu'emprunterait le train : c'était le relevé du tracé. Le Canada était vaste, et son territoire, un véritable parcours d'obstacles constitués de rivières, de lacs, de marécages, de montagnes et de cols vertigineux. Crottin de citrouille, il avait fallut dix ans pour que les responsables s'entendent sur le meilleur itinéraire !

Les responsables du relevé du tracé étaient les arpenteurs-géomètres, qui dressaient le plan du terrain sur lequel la voie ferrée allait passer ; les défricheurs enlevaient les arbres et les broussailles, les chaîneurs mesuraient la distance parcourue en plantant un piquet tous les trente mètres, les niveleurs mesuraient l'altitude des lieux, et les topographes notaient les caractéristiques physiques du terrain – les rivières, les collines, les sources, les types de roche et de sol… Une fois ce travail terminé, les arpenteurs retournaient sur les lieux afin de fixer le tracé définitif et de poser des pieux temporaires pour le délimiter avec clarté et faciliter l'ouvrage de l'équipe de construction.

C'est en réalisant cette tâche que mon père avait été emporté par une avalanche.

Venait ensuite l'étape de la construction de la superstructure, car les rails devaient reposer sur un terrain solide et plat. Les terrassiers aménageaient les lieux et creusaient des fossés de drainage le long de la future voie ferrée. Wednesday et moi avions déjà participé à ce genre de travaux. Les terrassiers disposaient ensuite des couches de pierres concassées, appelées «ballast», tassées par les ouvriers à l'aide de pelles et de pics avant d'être aplanies par une immense décapeuse tirée par des chevaux. Crottin de citrouille, il en fallait du temps, de la sueur et des hommes pour que le terrain soit enfin prêt!

La troisième et dernière étape était la pose des traverses et des rails.

Comme leur nom l'indiquait, les traverses étaient placées en travers de la voie, à soixante centimètres d'intervalle. Les rails en acier étaient mis dessus et fixés par des plaques d'acier – appelées «éclisses» – et des crampons.

Des ouvriers racontaient que, dans certains pays, les traverses étaient couvertes d'un produit qui augmentait leur résistance. Ils se plaignaient qu'ici, dans l'Ouest, il faudrait les remplacer tous les quatre ans... L'entretien de la voie soulevait d'énormes problèmes. Les gelées, les dégels et les températures extrêmes provoquaient l'allongement ou la rétractation des rails, des soulèvements et des affaissements de la voie... Crottin de citrouille, il y avait toujours une avarie à réparer, et des joints, des bouts de rails, des coins en bois ou des cales à poser!

Mon nouveau travail était rude, mais il ne me déplaisait pas, car j'étais souvent aux abords de la scierie et j'adorais l'odeur du bois.

Je venais d'effectuer huit voyages avec Wednesday pour transporter des traverses jusqu'aux wagons et il était temps que je fasse une pause. Pas loin de l'endroit où je me trouvais, des bûcherons avaient abattu un cèdre de vingt centimètres de diamètre. Deux hommes s'apprêtaient à dégrossir le tronc sur deux faces à l'aide d'une hache quand on cria mon nom.

– Luke !

Je me retournai et vis Ti-Khuan. Il me salua d'un geste de la main en arborant son beau sourire. Il marchait d'un pas vif et décidé, vêtu de son large pantalon, de sa longue tunique bleue et de son petit bonnet rond.

– As-tu fini ta journée ? me demanda-t-il.

Je regardai du côté des bûcherons. Ils avaient entendu la question de Ti-Khuan et ils me firent signe de partir. D'autres troncs devaient être coupés. Les nouvelles traverses ne seraient prêtes que le lendemain. Ils n'avaient plus besoin de moi ni de mon cheval.

– Je crois bien ! répondis-je à mon ami, ravi.

Je me hâtai d'aller voir le contremaître pour récolter ma paie. Puis, je donnai à boire à Wednesday, le laissai brouter et lui prodiguai des caresses pour le remercier de ses efforts. Nous nous dirigeâmes enfin vers le centre de Laggan. Je marchais aux côtés de Ti-Khuan en tenant la bride de Wednesday, qui secouait la tête de contentement.

— Kiaokéli n'est pas avec toi ? m'étonnai-je.

— Non, je l'ai prêtée aux cuisiniers du campement ; ils doivent déplacer des barriques. Je voulais te voir tout de suite, Luke, parce que j'ai peut-être du nouveau concernant notre affaire !

— C'est vrai ? dis-je, excité.

— Après mon travail, je suis passé au Western Terminus.

— C'est quoi ?

— Le bureau de poste temporaire du terminus de la voie ferrée. Tu n'y es jamais allé ?

— Non.

Mon père et moi n'y étions pas allés. Je me sentis soudain triste. Si j'avais connu l'adresse de ma petite sœur, j'aurais pu lui envoyer une carte... Si je devais écrire bientôt à Mortimer Neeson, j'en profiterais pour la lui demander !

— J'ai discuté avec un collègue de Rusty, le gars de la diligence, poursuivit Ti-Khuan, et je sais comment il passe le temps avant de retrouver le juge le dimanche et de lui remettre les colis prioritaires. Ce n'est plus la peine d'attendre l'arrivée de la prochaine diligence pour lui poser la question !

— Alors ?

— Il va chez Nathan White, le barbier. Il emporte avec lui les paquets importants. C'est ce qu'il a fait dimanche dernier avant d'aller voir le juge ; son collègue est formel.

— Tu penses que c'est chez White qu'il est arrivé quelque chose de louche avec mon colis ? lançai-je en m'arrêtant net sur le chemin.

— Disons que... c'est possible, non ?

— Crottin de citrouille !

— Qu'est-ce qu'on fait ?

— On va voir White.

Un gars ordinaire

Nathan White finissait de raser un client lorsque nous fîmes irruption dans son commerce. Il s'agissait d'une pièce modeste, aux murs blancs un peu crasseux, attenante à un autre espace plus petit constituant l'arrière-boutique. Le siège du barbier était placé au milieu de la salle principale. Une rangée de chaises était disposée le long d'un mur, et sur une étagère des pots et des cruches, des peignes, des miroirs à main et des onguents étaient étalés. Des affiches et des photographies douteuses étaient accrochées à des clous, et le sol était parsemé de poils et de cheveux coupés. Une odeur de savon flottait dans l'air.

White tourna les yeux vers nous et marmonna quelque chose qui ressemblait à «bonjour». Nous restâmes debout près de l'entrée, ne sachant trop où nous mettre.

Au bout d'une minute, White s'arrêta, le rasoir entre le pouce et l'index, et s'adressa à nous :

— Vous venez pour une coupe ?

— Le p'tit Chinois veut qu'on lui tranche la natte ? railla son client en lorgnant Ti-Khuan avec mépris.

— No... non, bredouillai-je, déstabilisé par les propos haineux visant mon ami. On aimerait vous poser une question, monsieur White.

White passa un linge sur le menton de son client et enleva la serviette blanche qui entourait son cou.

— À propos de quoi ? demanda-t-il avec impatience.

— On aimerait savoir si vous avez vu Rusty, le responsable de la diligence postale, dimanche après-midi.

— Oui, je l'ai vu. Pourquoi ?

Le client était sur le point de s'en aller, et je préférais attendre son départ pour poursuivre la conversation avec le barbier. Pendant que Ti-Khuan tirait nerveusement sur sa natte, je fis mine de m'intéresser à la photographie d'une femme affichée sur un mur. White alla à son arrière-boutique et revint avec la monnaie de son client, qui quitta enfin les lieux.

— Ne regarde pas ça, ce n'est pas de ton âge ! me lança le barbier. Alors, que voulez-vous, tous les deux ?

White nous toisait des pieds à la tête, comme s'il nous suspectait d'être des voleurs.

— Rusty avait un paquet pour moi, commençai-je, intimidé. En l'ouvrant, j'ai découvert la tabatière en or volée chez Kinder cet hiver. Quelqu'un l'avait glissée là. Comme il est impossible de toucher aux paquets durant le trajet de la diligence, Ti-Khuan et moi, on se demandait si quelqu'un avait pu manipuler mon colis pendant que Rusty attendait le juge. Étant donné que vous avez souvent beaucoup de clients…

— La tabatière en or ? demanda Nathan White en s'affalant sur son siège de barbier, estomaqué. Tu parles bien de celle pour laquelle Kinder a offert une récompense ?

— Oui, répondis-je. On est allés la lui rendre hier. Sauf qu'on aimerait savoir ce qui s'est passé !

— Monsieur White, quand Rusty est venu ici dimanche, portait-il des colis ? se risqua Ti-Khuan.

— Oui, déclara White après un instant. Il en a presque toujours. S'il vient se faire raser à cette heure-là, c'est parce qu'il a des paquets à livrer au juge et que Morgan n'est pas sorti de la messe.

— Est-ce qu'il y avait d'autres clients dans votre boutique ?

Ma question parut le plonger dans de profondes réflexions, et d'interminables secondes s'écoulèrent avant qu'il me réponde.

— Oui ; en fait, il… il y avait quelqu'un. Quand Rusty vient pour sa barbe, il est toujours pressé. Je me souviens qu'un gars est arrivé avant lui, mais je ne me suis pas occupé de lui tout de suite, parce que je venais de me préparer du café dans mon arrière-boutique et que ma cafetière avait débordé. Il fallait que je nettoie les dégâts. Rusty a demandé s'il pouvait passer avant le gars : il avait deux colis importants à livrer au juge, dont un pour un gamin.

— Crottin de citrouille ! lâchai-je.

— Vous connaissiez cet homme ? demanda Ti-Khuan.

— Non.

— Vous vous rappelez s'il a touché aux colis ?

— Je n'y ai pas prêté attention, j'étais occupé. Je vous l'ai dit, Rusty était pressé.

— Cet homme a accepté que Rusty passe avant lui, mais qu'est-ce qu'il a fabriqué en attendant son tour ? s'enquit Ti-Khuan.

— Je crois qu'il avait un problème avec ses bottes ou ses éperons. Il s'est assis pour les arranger pendant un bon moment.

— Quand Rusty vient chez vous, où dépose-t-il ses paquets le temps que vous tailliez sa barbe ?

— Au… au pied de sa chaise.

Ti-Khuan me regarda, et je compris que nous pensions à la même chose.

— Est-ce que l'homme aurait pu toucher à mon colis en faisant semblant de s'occuper de ses bottes ? demandai-je à White.

Il ne me répondit pas, embarrassé par la situation. Il était sans doute gêné qu'un vol de cette ampleur se soit produit dans sa boutique. Il se contenta de froncer le nez.

— À quoi ressemblait cet homme, monsieur White? voulut savoir Ti-Khuan.

— À un gars ordinaire; un ouvrier du chantier, quoi!

— Crottin de citrouille, on ne le retrouvera jamais!

— De toute façon, s'impatienta White en se relevant de sa chaise, Kinder a récupéré sa tabatière, non? Je ne vois pas pourquoi vous vous cassez la tête avec cette histoire.

— Vous avez raison, monsieur White, admit Ti-Khuan. Il n'y a rien à comprendre.

Mon ami se tourna vers moi :

— À mon avis, le gars qui est venu ici en même temps que Rusty possédait la tabatière en or. Il a peut-être aperçu un policier qui passait dans la rue, et il a eu peur d'être attrapé avec l'objet volé. Il a dû décider de s'en débarrasser en glissant la tabatière dans ton paquet, et voilà.

— Et il est venu fouiller dans mon dortoir dimanche soir en pensant la récupérer, complétai-je, soudain las.

Ti-Khuan hocha la tête d'un air convaincu. Je lâchai un profond soupir. Notre enquête s'achevait. Je désirais parler à la police et j'avais hâte que le juge revienne de son voyage. Il pourrait expliquer la situation à l'oncle de Charlotte et ainsi dissiper ses doutes.

White nous offrit une limonade. Puis, nous quittâmes sa boutique et retrouvâmes Wednesday, attaché à la barrière. Nous nous dirigeâmes vers le poste de la police montée de Laggan, situé à deux pas. Mais il était désert, et sa porte, fermée à clef. Eleanor, la propriétaire du restaurant de l'hôtel où Ti-Khuan et moi mangeâmes un sandwich, nous confirma que le juge Morgan était parti pour plusieurs jours à Calgary, comme prévu.

Ti-Khuan rentra au campement chinois, et moi, dans mon dortoir. Je me sentais rassuré. Même si nous ne pouvions être certains que le mystérieux client du barbier était celui qui avait fendu mon enveloppe pour y dissimuler la tabatière, j'étais convaincu que c'était elle qu'on avait cherchée dans mes effets personnels. Je ne la possédais plus et la nouvelle de sa restitution à Kinder allait se répandre comme une traînée de poudre. Personne ne viendrait plus fouiner dans ma cabane.

La bagarre

C'est en revenant du travail, le lendemain soir, que je la vis. Elle marchait sur le chemin de terre et elle me fit de grands signes en m'apercevant.

— Luke !

Paniqué, je descendis aussitôt de ma monture. J'ôtai mon chapeau et m'en servit pour battre mes habits poussiéreux. Wednesday et moi avions travaillé fort à la scierie, transportant des dizaines de traverses en compagnie des ouvriers. Mes cheveux étaient en broussaille et mon maillot rouge sentait la sueur. Crottin de citrouille, je ne portais pas ma chemise écossaise ! Même si elle était trop chaude et usée, je trouvais qu'elle m'allait bien et la réservais pour le dimanche, le jour où je voyais Charlotte.

Perdu dans mes réflexions, je m'immobilisai sur le bord du chemin, Wednesday à mes côtés.

– Tu vas bien ? s'inquiéta Charlotte, qui arrivait vers nous.

– Oui, et toi ? lui répondis-je, penaud.

– Ça va. Je suis désolée de ce qui s'est passé avec mon oncle l'autre jour...

– C'est correct.

– Il ne sait pas que je suis ici. Cela t'ennuie si je marche avec toi ?

– Euh... non, pas du tout !

– Si je suis venue à ta rencontre, c'est...

– Luuuuuuuuuke ! hurla-t-on devant nous.

Je relevai la tête et vis Ti-Khuan arriver au galop sur Kiaokéli.

– Luke ! cria-t-il. Viens vite ! White s'est battu avec un gars !

La surprise me paralysa.

– Qu... quoi ? balbutiai-je.

– Je voulais faire des courses au village après ma journée de travail, expliqua Ti-Khuan en immobilisant Kiaokéli dans un nuage de poussière. En arrivant dans la rue principale, j'ai vu un attroupement. Je me suis renseigné, et un homme m'a raconté que White s'était battu et qu'il était au poste de police, alors je suis tout de suite venu te chercher. Mais qu'est-ce que tu attends, Luke? Allez, grimpe sur ton cheval!

Je sautai aussitôt sur ma monture. Charlotte me regardait sans comprendre:

— Qui est White?

— Le barbier de Laggan. Tu viens avec nous?

— D'accord! acquiesça-t-elle, tandis que Ti-Khuan et Kiaokéli repartaient au galop.

Le cœur battant, je lui tendis la main. Elle l'agrippa et s'installa en amazone sur mon cheval. Elle était collée contre moi, et les pans de sa robe grise flottaient sur le flanc de Wednesday.

— Hi ha! criai-je à Wednesday en sentant les bras de ma fée s'attacher à ma taille.

La chevauchée ne dura que quelques minutes, hélas!

Comme l'avait expliqué Ti-Khuan, un attroupement s'était formé dans la rue principale de Laggan. Des dizaines de badauds s'étaient rassemblés et discutaient entre eux. Nous nous approchâmes sans descendre de nos bêtes.

— Qu'est-ce qui se passe? demandai-je à un homme.

— Truman et Foster ont arrêté le barbier et un autre gars qui se battaient! m'expliqua-t-il, excité. Il y a déjà une heure qu'ils sont au poste de police avec Kinder, le propriétaire du magasin général.

— Je veux descendre! s'écria Charlotte.

Crispé, j'immobilisai Wednesday, qui piétinait sur place. Sans prononcer un seul mot, Charlotte sauta à terre et courut en direction de la cabane de bois rond abritant le poste de police.

Ti-Khuan alla attacher Kiaokéli à une barrière devant l'hôtel. Je fis de même avec Wednesday. Nous rejoignîmes rapidement la foule de curieux qui discutaient avec passion au milieu de la rue.

— C'est un mécanicien de locomotive; il s'appelle Bart Keegan, entendis-je.

— Vous savez pourquoi ils se sont battus? m'enquis-je.

— White a accusé Keegan de lui avoir volé un objet dans une potiche pendant qu'il s'occupait d'un client, rapporta quelqu'un d'autre.

— Du calme, du calme! intervint le policier Truman, qui arrivait du poste de police.

Il passa devant moi.

— Ça va, MacAllan ?

— O… oui, lui répondis-je, surpris.

Le juge Morgan l'avait sans doute prévenu de l'incident survenu dans mon dortoir, à moins qu'il se souvînt des événements arrivés en juin, après la disparition de Ti-Khuan.

— Keegan a fait des aveux, il n'a pas traîné, expliqua-t-il alors que la foule se rassemblait autour de lui. Il ne souhaitait pas qu'on l'accuse du vol commis chez Kinder.

— Qu'est-ce qu'il a raconté ? demanda un homme.

— Qu'il était venu se faire faire la barbe chez White dimanche après-midi. Le barbier avait des problèmes de cuisine dans son arrière-boutique, et Keegan est resté seul un instant. Il en a profité pour fouiner dans la pièce et pour inspecter les potiches sur les étagères. C'est ainsi qu'il a mis la main sur la tabatière de Kinder ; elle était cachée dans une cruche en porcelaine. Il faut dire que Keegan est un sacré lascar ! Il se fait passer pour un mécanicien de locomotive de la Canadian Pacific mais, si vous voulez mon avis, c'est plutôt un bricoleur de vols à la tire.

Des rires fusèrent dans la foule. Les gens écoutaient Truman avec délectation, comme s'il s'agissait d'un divertissement. Le policier était fier de lui et il semblait prendre plaisir à conter les détails de l'histoire. Après tout, son rôle était de faire régner la loi et l'ordre, et rien ne valait ce genre de spectacle pour calmer les ardeurs des criminels en puissance.

— C'est alors que le responsable de la diligence postale est entré chez le barbier, poursuivit-il une fois la foule redevenue silencieuse. Rusty portait des paquets urgents pour le juge. En voyant ces colis, Keegan a eu une idée. Faut savoir qu'il ne garde jamais sur lui les objets qu'il dérobe, au cas où il serait arrêté !

— Est-ce vrai que la police l'a surnommé Le Passeur ? lui demanda un grand homme aussi fin qu'une asperge.

— C'est vrai. Et, à la première occasion, il s'est approché des colis de Rusty et en a fendu un d'un coup de couteau pour y glisser la tabatière tout juste dérobée. Évidemment, il a mémorisé l'adresse écrite sur le colis. C'était celle d'un garçon. Plus tard, il a tenté de récupérer la tabatière dans le dortoir du jeune, mais il a entendu du bruit et il a pris la fuite. Keegan est un trouillard ! Il a abandonné son entreprise. Depuis, le garçon a rendu la tabatière à son propriétaire, Elliott Kinder.

Une rumeur de contentement courut dans l'assemblée. Ti-Khuan me donna un coup de coude. Je sentis mon visage rougir. Truman avait eu la délicatesse de ne pas me regarder au moment où il avait parlé du « garçon ». Il devait pourtant connaître son identité.

— White s'est aperçu qu'on lui avait volé le contenu de sa potiche, poursuivit Truman. On ne sait pas trop pourquoi, mais il soupçonnait Keegan. Le hasard a voulu qu'il le reconnaisse dans la rue, aujourd'hui. Keegan ne s'est pas méfié, et White a perdu la tête et lui est tombé dessus comme la misère sur le pauvre monde. La suite, vous la connaissez autant que moi.

— Pourquoi l'barbier gardait la tabatière d'l'Écossais dans une cruche ? hurla une voix grave.

— Parce que c'est lui qui l'avait volée, idiot ! répondit Truman. Même que le barbier est encore fier de son coup ! Il nous a raconté que, le jour où c'est arrivé, Kinder s'apprêtait à ranger des objets sous une vitrine, dans son magasin, quand quelqu'un a cru apercevoir La Marmotte dans la boutique, et la panique s'est emparée des clients. White, qui se trouvait près de Kinder, a profité de la cohue pour saisir la tabatière sans qu'on s'en aperçoive. Kinder ne l'aurait jamais suspecté, parce qu'ils étaient amis.

— Pourquoi White a volé la tabatière ? voulut savoir un jeune homme.

— On n'en sait rien, avoua Truman, qui souhaitait mettre un terme à l'affaire. Il ne nous l'a pas avoué. Mais il avait l'air de trouver drôle que tout Laggan l'ait cherché ! Ce gars n'est pas bien dans sa tête.

— Ça f'sait des mois que ce type nous coupait les ch'veux et qu'il nous f'sait la barbe avec son rasoir, cria un homme dans la foule. S'il était pas bien dans sa tête, comme tu dis, Truman, ça signifie qu'il aurait pu nous trancher la gorge à tous !

Des réactions d'horreur fusèrent de partout.

— Du calme ! hurla Truman. Vous savez tout maintenant. Rentrez chez vous ou retournez au travail ! Il n'y a plus rien à voir !

Truman dispersa l'attroupement avec autorité.

— Crottin de citrouille... lâchai-je alors que Ti-Khuan et moi nous dirigions vers nos montures.

Ti-Khuan poussa un gros soupir.

— White nous a bien joué la comédie.

— Je suis certain que c'est nous qui lui avons appris qu'il s'était fait voler la tabatière.

— Ouais ; il ne devait pas vérifier chaque soir qu'elle était dans sa cruche !

— Et c'est aussi nous qui lui avons donné l'idée de soupçonner Keegan ! m'exclamai-je en glissant mes doigts dans la crinière de Wednesday. Si on n'était pas venus lui raconter l'histoire de l'enveloppe fendue, je me demande s'il aurait pu trouver son voleur.

— Le voleur s'est fait voler ! lança Ti-Khuan en rigolant.

— Keegan est stupide d'être allé se balader dans la rue sous le nez du barbier.

— Il ne pouvait pas s'imaginer qu'on le soupçonnerait. Vu le nombre de gars qui vont chez White, n'importe qui aurait pu inspecter le contenu de ses cruches. En plus, Keegan ne possédait pas la tabatière.

Ti-Khuan grimpa sur Kiaokéli.

— On a mérité un bol de nouilles ! déclarat-il. Oliver nous servira une super-portion, ça nous remettra de nos émotions. Avec le départ de Charlotte, en plus…

— Elle part bientôt ? lui demandai-je, affolé.

— Samedi.

— Dans trois jours ?

— Oui, répondit Ti-Khuan d'une voix triste. L'école va reprendre et elle doit retourner à Calgary, chez ses parents. Ses vacances sont terminées. On savait qu'elle devait repartir à la fin de l'été… Elle m'a dit tantôt que son départ avait été devancé parce que sa mère avait besoin d'elle. Elle était allée à ta rencontre pour te l'annoncer ; je croyais que tu étais au courant…

La nouvelle me fit l'effet d'un poignard enfoncé dans le cœur. Je sentis mes yeux s'emplir d'eau et un nouveau chagrin m'envahir. Comme s'il percevait ma peine, Wednesday colla son museau contre ma tête.

Tristesse

Cela faisait quatre jours que Charlotte était partie. Nous avions passé un dernier après-midi au bord de la rivière, tous les trois. Charlotte s'était assise sur un rocher, découvrant ses pieds menus pour les tremper dans l'eau glaciale de la Bow. Ti-Khuan avait fait semblant de pêcher avec un bout de ficelle attaché à une branche. Moi, j'avais écouté Charlotte parler de l'école, de ses parents, de ses amis, et nous dire que nous nous reverrions sans doute un jour… Nous étions revenus à Laggan trop tôt et, devant le magasin général, Charlotte avait déposé un baiser sur la joue de Ti-Khuan, puis un autre sur la mienne en me tenant la main. La tristesse lue dans ses yeux m'avait ravagé le cœur. Elle avait caressé nos chevaux pour une dernière fois, puis franchi le seuil de la boutique de son oncle et disparu.

Je ne pouvais m'empêcher de penser à Charlotte, ma fée des montagnes, aussi légère et lumineuse qu'une luciole survolant les herbes…

Le hennissement de Kiaokéli me sortit de mes pensées tristes. Je vis Ti-Khuan me regarder en souriant.

— Tu es dans la lune, Luke MacAllan !

Nous nous étions donné rendez-vous avec nos montures près du pont enjambant la Bow et avancions au pas, côte à côte. Il était très tôt.

Wednesday et Kiaokéli avaient besoin de nouveaux fers à leurs sabots. Un maréchal-ferrant de Laggan pouvait leur en poser pour une somme raisonnable. J'avais proposé à Ti-Khuan d'aller le voir ensemble et lui avais dit que je payerais nos deux factures. Ti-Khuan avait d'abord protesté, affirmant qu'il pouvait payer grâce à sa part de la récompense que l'oncle de Charlotte nous avait finalement donnée pour la tabatière en or. Mais j'avais insisté. Mon ami m'avait été d'un grand secours dans cette affaire et je souhaitais le remercier à ma manière. J'offrais à sa jument de beaux fers luisants qui protégeraient la corne de ses sabots contre les agressions de la montagne.

C'est en arrivant aux abords de la rue principale de Laggan que je sus qu'il se passait quelque chose d'anormal.

Certaines ruelles, habituellement animées, semblaient désertes. Un étrange silence régnait dans les lieux, ponctué de cris atroces nous parvenant du bout de la rue, du côté du poste de police.

Ti-Khuan me glissa un regard inquiet.

Nous changeâmes de direction et lançâmes nos montures au trot.

Peu de temps après, nous étions au pied de l'hôtel, où un nouvel attroupement s'était formé.

— Crottin de citrouille, fis-je, effrayé par le spectacle qui s'offrait à nous.

Une trentaine de personnes en état de panique s'agitaient dans tous les sens. Eleanor, la propriétaire de l'hôtel, était en pleurs. Truman et Foster tentaient de la consoler tandis que d'autres policiers grimpaient en vitesse sur leur monture.

Je vis soudain Abraham Richards sortir de l'hôtel. Je sautai aussitôt de mon cheval et courus à sa rencontre. Ti-Khuan m'emboîta le pas.

— Richards ! lui criai-je, affolé. Qu'est-ce qui se passe ?

— Jason Morgan a été attaqué cette nuit par des voleurs qui ont vidé son coffre, déclara-t-il en baissant les yeux.

Je découvris avec horreur ses mains couvertes de sang.

— Est-ce qu'il est blessé ?

Richards releva la tête pour me regarder en face :

— Le juge est mort.

Table des matières

Note de l'auteure

Ce roman est une fiction. Toute ressemblance avec des personnages réels ou ayant existé est une pure coïncidence.

Même si certains lieux sont inspirés du réel – comme Laggan (qui s'appelle aujourd'hui Lake Louise), où se trouvait un campement de base pour les ouvriers travaillant sur le chantier de construction de la compagnie Canadian Pacific Railway –, leur description est romancée.

La construction de la voie ferrée reliant les régions plus habitées de l'est du Canada aux grandes étendues de l'Ouest a constitué un ouvrage colossal mobilisant des milliers d'ouvriers. Elle a commencé en 1881 et s'est achevée en novembre 1885.

Les saisons de construction de 1884 et 1885 se sont surtout déroulées dans les montagnes de la Colombie-Britannique et sur la rive nord du lac Supérieur.

L'auteure

Anne Bernard-Lenoir est née en France, mais elle vit au Québec depuis 1989. Cette diplômée en géographie a obtenu en 1991 une maîtrise en urbanisme de l'Université de Montréal. Elle se passionne pour les voyages, et ses créations s'inspirent de ses parcours géographiques, de la nature, de l'histoire, des sciences, du mystère et de l'aventure.

PACIFIC
EXPRESS

LE CAMPEMENT
DE BEAVER

Pacific Express tome 4
Le campement de Beaver

Décembre 1884, montagnes Selkirk, Colombie-Britannique. Luke MacAllan et Ti-Khuan Wu ont décidé de quitter Laggan pour rejoindre le groupe des arpenteurs et passer l'hiver à Beaver, le nouveau terminus de la voie ferrée de la Canadian Pacific Railway. Après un voyage en train mémorable, Luke se voit confier un nouveau travail. Il est alors loin de se douter que cette mission va mettre sa vie en danger…

9 enquêtes palpitantes
à dévorer !

Volume 1
Les chevaux enchantés, La veuve noire,
Secrets d'Afrique, Le ventre du serpent

Volume 2
Mystères de Chine, Pas d'orchidées pour
Miss Andréa!, La malédiction des opales,
La disparition de Baffuto, Un violon bien gardé

Découvrez les aventures

d'**Andréa -Maria & Arthur**

Andréa-Maria et Arthur :
deux amis passionnés par les énigmes.
Aidés du chien Sherlock, ils mènent
des enquêtes captivantes, et leurs aventures
sont palpitantes. Elle est impulsive,
il est réfléchi : un duo de choc qui vient
à bout des mystères les plus étranges.

Les éditions de la courte échelle inc.
160, rue Saint-Viateur Est, bureau 404
Montréal (Québec) H2T 1A8
www.courteechelle.com

Révision : Leïla Turki

Dépôt légal, 4ᵉ trimestre 2011
Bibliothèque nationale du Québec

La courte échelle reconnaît l'aide financière du gouvernement du Canada par
l'entremise du Fonds du livre du Canada pour ses activités d'édition. La courte
échelle est aussi inscrite au programme de subvention globale du Conseil des Arts
du Canada et reçoit l'appui du gouvernement du Québec par l'intermédiaire
de la SODEC.

La courte échelle bénéficie également du Programme de crédit d'impôt pour
l'édition de livres – Gestion SODEC – du gouvernement du Québec.

**Catalogage avant publication de Bibliothèque et Archives nationales du Québec
et Bibliothèque et Archives Canada**

Bernard-Lenoir, Anne
Pacific Express
Sommaire : t. 3. La tabatière en or.
Pour enfants de 8 ans et plus.
ISBN 978-2-89651-493-9 (v. 3)

I. Titre. II. Titre : La tabatière en or.

PS8603.E72P32 2011   jC843'.6   C2010-942520-0
PS9603.E72P32 2011

Imprimé au Canada